Sarah Andress

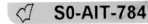
S0-AIT-784

Titel der Originalausgabe: Les Animaux de la Bible
Texte de Laura Fischetto
avec la collaboration de Sylvie Coyaud.
Illustrations de Letizia Galli
Editions du Centurion, Paris 1990

Alle Rechte vorbehalten - Printed in Germany
© Verlag Herder Freiburg im Breisgau 1991
Satz : Freiburger Graphische Betriebe
Druck und Einband : Pollina s.a., n° 13901 - Luçon/Frankreich
ISBN 3-451-22277-9

Michael Graff

Was das Kamel des Pharao träumte

und andere tierisch-biblische Geschichten

Text der Originalausgabe Laura Fischetto
mit Bildern von Letizia Galli

Herder

Freiburg · Basel · Wien

Inhalt

Vorwort 5

Adam Die ersten Menschen und die vielen Tiere (Gen 1–2) 8

Serpentina Die raffinierte Schlange (Gen 3) 13

Leo Leonis Der letzte König im Paradies (Gen 3) 16

Mullemäh Das Lämmlein und die erste Katastrophe (Gen 4) 22

Tim Tiger und die Steinmännchen (Ps 115) 25

Columbüse Die Taube und die Arche Noah (Gen 6–8) 28

Mox Der Ochs von Babylon (Gen 11) 31

Mulimaul Das Maultier Abrahams (Gen 12, 1–4) 34

Pyramiton Das Kamel des Pharao (Gen 12, 10–20) 37

Eduard von Schwalbenschwanz und Abrahams Gäste (Gen 18, 1–15) 40

Eiderdaus Die Eidechse in der wüsten Wüste (Gen 21, 9–21) 43

Paddammel und Arammel Die Hündchen der Rebekka (Gen 25, 19–26) . . . 46

Mullemuh Das schwarze Schaf und das Liebespaar (Gen 29–30) 49

Lupupu Der liebe Wolf und Josefs Geschichte (Gen 37, 12–35) 53

Nasch Das Kätzchen im Hause Potifar (Gen 39, 1–20) 58

Hannomack Der Esel des kleinen Benjamin (Gen 44, 1 – 45, 15) 61

Hippopotame Die Nilpferdfrau und das Findelkind (Ex 1–2) 64

Herr Jemineh Der Hammel am brennenden Dornbusch (Ex 3, 1–17) 67

Schlawittich Der Affe und die ägyptischen Plagen (Ex 7, 8 – 12, 30) 70

Rotari Blubb Der Rotbarsch vom Roten Meer (Ex 14, 21–31) 74

Rülps Rüppeli Der Sandfuchs und das Manna (Ex 16) 77

Lawasch Die Kuh und das goldene Kalb (Ex 32, 1–24) 80

Simsala Die Eselin des Bileam (Num 22–24) 83

Horst Der Sperber von Jericho (Jos 6, 1–21) 88

Susani Der Nachtigallen Schlag und Davids Spiel (1 Sam 16, 14–23) 91

Sabine von Saba Die Kameldame und König Salomo (1 Kön 10, 1–13) . . . 94

Primieze Die Katze der tollen Judith (Jdt 10–15) 97

Kanniball Nimmer Der Löwe und Daniel in der Grube (Dan 6) 100

Askalon Der phantastische Walfisch (Jon 1, 1 – 2, 11) 104

Vorwort

Kennst du Hippopotame?
Kennst du den Herrn Jemineh?
Kennst du Mox von Babylon?
Susani und Susafon?
Oder Sem, den kleinen Wicht?
Wie, du kennst sie alle nicht?

Na, dann setz dich mal zu mir.
Hör gut zu. Ich schreibe dir
aus dem großen Bibelzoo.
Lachen wirst du sowieso,
manchmal kommt es etwas ernst,
manchmal kommt es, daß du lernst,
manchmal ist es wie im Leben,
manchmal ist es leicht daneben.

Alle Tiere haben Namen,
manche fallen aus dem Rahmen.
Meistens schreibe ich zum Spaß
einmal dies und einmal das.

Hinter meinen Tiergedichten
stehen andere Geschichten.
Die Geschichten sind nicht übel,
und sie stehen in der Bibel.

Wenn du eine Bibel hast,
heißt es also aufgepaßt.
Wer gut aufpaßt, findet sie:
Mullemuh und Mullemi,
Lupupu und Askalon
und den Herrn Pyramiton.
Aber sie sind so versteckt,
daß man sie nicht gleich entdeckt.
Manche suchst du viele Stunden.
Manche habe ich erfunden.
Hinterher bist du gescheiter –
und so weiter und so weiter.

Michael Graff

Von Adam bis Leo Leonis

Adam
Die ersten Menschen und die vielen Tiere

Finster war die Welt und stille,
aber Gottes Schöpferwille
rief das Licht. Da wurde Licht.
Nur viel los war da noch nicht.

Schwarzwald, Grönland und Italien,
Petersilie und Dahlien,
Bodensee und Rhein und Rheinfall,
jeden Tag ein neuer Einfall.
Aber öde ist es doch.
Irgend etwas fehlt da noch.

Keiner geht im Wald spazieren.
Keiner will das Obst probieren.
Keiner kichert, keiner stöhnt.
Keiner streitet und versöhnt.
Keiner pfeift, und keiner bellt.
Keiner lobt den Herrn der Welt.

Gott gab allem seinen Segen,
und jetzt hört er nur den Regen.
Freundlich plätschert so die Welt.
Ist es das, was Gott gefällt?

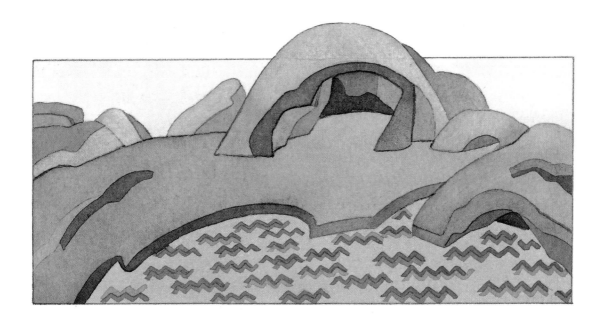

»Laßt uns endlich Tiere machen!«
Und er sprach's und mußte lachen,
denn nun ging es Schlag auf Schlag,
ach, das war ein schöner Tag.
Bunt war nun die Welt und voller
Stimmen, und es kam noch toller.

Schon am nächsten Schöpfungsmorgen
gab es tierisch viele Sorgen.
Lurche krochen bei den Hasen
in die Ohren, in die Nasen.
Kröten kannten sich nicht aus
mit den Tümpeln. Katz und Maus
spielten Räuber und Gendarm.

Und man nahm sich auf den Arm,
und es wurde immer bunter
und ging drüber und ging drunter.
Kurz: Das Chaos war total.

Also sprach der dicke Wal
zu dem zappeligen Molch:
»Ich bin Susi, du bist Strolch.«
Doch so einfach ging das nicht.
Denn der Molch, bei Tageslicht,
sprach: »Dich soll das Mäuslein beißen,
ich will lieber Ewald heißen.«

Also sprach der Leopard:
»Hört mal zu, das klingt jetzt hart,
uns fehlt einer, der uns führt,
Kanzler, König, Oberhirt.«

»Bravo, du da mit dem Felle«,
rief das Känguruh ganz helle.
»Laßt uns denn die Pfötchen heben.
Gott soll uns den Menschen geben,
der uns schöne Namen gibt
und die lieben Tiere liebt.«

Gott ließ nicht lang auf sich warten,
und er setzte in den Garten
eine Frau und einen Mann.
Und die hatten gar nichts an.

Leopard und Löwe kamen
und bekamen ihre Namen.

Fuchs und Gockel und Kaninchen,
Regenwürmer, Schnecken, Bienchen.
»Ich bin Eva, wer bist du?«
»Adam, und jetzt komm zur Ruh.«

Liebe gab es, Platz für jeden
und der Garten, der hieß Eden.

Serpentina
Die raffinierte Schlange

Wenn das Wörtlein wenn nicht wär',
kämen Schlange, Spatz und Bär,
Krokodil und Katz und Maus,
bestens miteinander aus.

Auch die Menschheit wär' ein Segen,
Adam tät die Bäume pflegen,
Eva tät mal das, mal dies,
ja, es wär' das Paradies,
voller Glück die Atmosphäre,
wenn das Wörtlein wenn nicht wäre.

Leider ist die Welt nicht so.
Anfangs war man ja noch froh
an den Beeren, an den Nüssen.
Aber, wie wir alle wissen,
kommt alsbald der Appetit.

Und dann ist es nur ein Schritt,
daß das Paradies zerbricht.

Jeder sagt: »Das wollt' ich nicht.«

Serpentina schlängelt sich
um den Baum. »Ich grüße dich,
Eva, komm, die Früchte hier
sind die besten, glaub es mir.
Auch wenn es verboten ist,
lohnt es sich, daß man sie ißt,
man wird so intelligent,
daß man gut und böse kennt.
Wäre das nicht ideal?
Eva, komm, probier doch mal ...«

Weiß der Teufel, wenig später
haben beide Übeltäter
von dem Obst so viel genommen,
daß die Tränen ihnen kommen.

Denn nun ist es schon passiert.
Serpentina, raffiniert,
hat die beiden angemacht,
insgeheim noch ausgelacht,
und nun macht sie sich davon.

Eva sucht für Adam schon
im Gebüsch ein Feigenblatt,
daß er wenigstens was hat.
Bald darauf lernt sie das Schneidern,

später gehen sie in Kleidern,
weil man sich jetzt halt geniert
und als Nackedei auch friert.

Serpentina unterdessen
hat die Sache längst vergessen,
hat sich dreimal schon gehäutet,
weil ihr das viel mehr bedeutet,
wohnt im Gras und nicht im Teiche,
fast wie eine blinde Schleiche.

Leo Leonis
Der letzte König im Paradies

Mittags ruht von zwölf bis drei
Leo, und er schnarcht dabei.
Wehe, wenn man ihn dann weckt
oder irgendwie erschreckt,
denn dann wird der Löwe wild,
steht im Paradies und brüllt.

Aber so weit kommt es nie.
Wenn er schläft, das wissen sie,
müssen alle leise sein,
Wüstenfuchs und Warzenschwein,
Adam, Eva und der Hund
halten bis um drei den Mund.
Denn Leo Leonis wird
wie ein König respektiert.

Ausgeschlafen – gähne, gähne –
schüttelt er die Löwenmähne,
und gewöhnlich fangen dann
alle wieder gackern an,
schnattern, krähen, pfeifen, schreien,
vorne dran die Papageien.
Aber heute, fünf nach drei,
hört er weder Pieps noch Schrei.

Traurig dreht er seine Runden.
Alle Freunde sind verschwunden.
Ganz allein im Paradies
fühlt sich auch ein König mies.

Müde schleicht er durch die Pforte,
wo zwei Engel von der Sorte
Cherubim den Garten schließen.
Um ein Haar die Tränen fließen.
»Licht aus, dieser war der letzte!«
Und der Löwe, der entsetzte,
murmelt mürrisch, weitertrabend:
»Feierabend, Feierabend!«

Leo kann's noch gar nicht fassen.
Wieso hat man uns entlassen?
Und so schnell, auf einen Rutsch!
Eden futsch und Frieden futsch.

Frieden futsch? Wer sagt denn das?
»Hallo, kommt, wir machen Spaß!«

»Spielchen? Daß wir da nicht lachen!
Du, das ist nicht Garten Eden.
Hier kämpft jeder gegen jeden.
Du gehörst mit deinen Tatzen
nunmehr zu den Raubtierkatzen.«

»Bunny, Friede, Ehrenwort!«
Doch der Hase hoppelt fort,
und es wird nicht lange dauern,
bis sie alle sich belauern.

Jeder meint es meistens gut,
aber man ist auf der Hut.
Fallen stellt man dann und wann,
aber man gewöhnt sich dran.

Von Mullemäh bis Lupupu

Mullemäh

Das Lämmlein und die erste Katastrophe

Viele gute Tiere gibt es.
Hier zum Beispiel – Abel liebt es –
ist das Lämmlein Mullemäh.
Wenn es froh ist, macht es mäh,
unzufrieden macht es bäh.

Niemand hat so wundervolle
dicke warme Schmusewolle.
Um die Augen, um die Ohren
wird nur drumherum geschoren,
um die Nase, um den Nabel.
Das tut gar nicht weh beim Abel.

Wo er das gelernt hat? Nun,
manches lernt man so im Tun,
einen Lehrer gab es nicht
und auch keinen Unterricht.

Seine Eltern finden dies
praktisch, denn im Paradies
lebten Mann und Frau und Hund
von der Hand so in den Mund.

»Eva, gut, daß wir sie haben,
unsre beiden Wunderknaben.«
»Ja, wir können dankbar sein.
Hallo, Liebling, Abelein!«

Kain, der Ältere von beiden,
kann den Abel nicht gut leiden.
Immer war der kleine Fratz
Papas Stolz und Mamas Schatz.

Warum lobt man Kain so selten?
Dauernd gibt es was zum Schelten,
aber Abel, Abelein,
der macht immer alles fein.

Liebt der liebe Gott nur einen?
Manchmal möchte Kain es meinen.
Stundenlang muß Kain sich bücken,
heute will ihm gar nichts glücken.

Bauern müssen lange warten.
Aus der Wüste wird ein Garten,
wenn man fleißig pflanzt und baut ...
Kain denkt nach. Sein Bruder schaut
wieder mal zum Himmel hin,
hat nichts Böses grad im Sinn,
legt ein Opfertier aufs Feuer.
Das ist Kain nicht ganz geheuer.

Da, in allernächster Näh'
zittert plötzlich Mullemäh!
Abel lächelt ahnungslos,
gleich ist hier die Hölle los.

Kain will auch ein Opfer bringen.
Wieder wird es nicht gelingen.

Kain denkt nicht mehr lange weiter.
Abel opfert still und heiter.
Kain dreht durch und bringt ihn um.

Mullemäh steht starr und stumm.

So brutal sind wir doch nie,
sagt es dann zu Mullemi.
»Merk dir, Bruder, merk dir gut,
so entsteht die große Wut.
Manchmal geht es wie beim Kain,
und man möchte neidisch sein.«

»Laß uns gehn«, sagt Mullemäh.
Und sie machen beide bäh.

Tim Tiger
und die Steinmännchen

Zwischen Orchidee und Lilie
wandert Adam mit Familie
durch den Urwald. Und sie kennen
die Geräusche. Plötzlich rennen
alle Hühner, alle Affen.
Adams Enkel suchen Waffen.

Irgendwo im dunklen Busch
macht der Tiger husch-husch-husch.
Das muß Tim gewesen sein.

»Kinder, packt die Schleuder ein.
Wieso seid ihr immer bange
vor dem Tiger, vor der Schlange?
So viel Angst tut euch nicht gut.
Nehmt euch vor der Angst in Hut.
Angst vor Tieren ist entbehrlich,
aber Menschen sind gefährlich!«

So sprach Adam, alt und weise,
aber im Familienkreise

glaubte man ihm nicht so sehr.
»Opa kennt die Welt nicht mehr.
Red nur, Opa, ist nicht schlimm.
Schlimm ist nur der Tiger Tim.«

Doch was macht das Tigertier,
wenn es Nacht ist, so um vier?
Seht ihn springen, seht den schnellen
Tim im Dschungel. Die Gazellen
tanzen Tango, spielen Fangen,
Eulen heulen, und die Schlangen
schlängeln sich wie jede Nacht
durch die Gegend bis um acht.

Tim ist nur so auf dem Sprung,
plötzlich, in der Dämmerung
stößt er gegen einen Stein,
zuckt zurück: Im Mondenschein
sieht er sonderbare Tiere,
ganz aus Stein und nachts um viere.

Tim erschrickt, die Steinfiguren
bringen sein Gemüt auf Touren,
und zum ersten Mal, ganz schlimm,
hat er Angst, der Tiger Tim.

Tiere kennen keine Geister,
doch der Steinmann, Götze heißt er,
ist schon ziemlich gruselig.
Und die Menschen, wuselig,
beten vor dem Selbstgemachten.

Oh, wenn sie doch lieber lachten,
denn die schönste Steinfigur
ist wie alle Steine nur
taub und tot und hart und kalt.

Tim hat richtig Angst im Wald.
Denn er spürt, die Menschen kommen
auf Ideen, keine frommen,
keine guten, auf Ideen,
die sie selber nicht verstehen.

Erst die Angst, die Angst im Dunkeln,
dann vor Götzen tanzen, schunkeln,
dann die Waffen, immer besser,
erst die Schleuder, dann das Messer,
eines Tages sind sie Krieger!

Und da zittert Tim der Tiger.

Columbüse
Die Taube und die Arche Noah

Götzendienst und Brudermord,
und so ging es immer fort.

Also fängt mit Frau und Mann
Gott die Sache noch mal an,
findet Noah, Frau und Kinder
und sagt: Noah, nimm zwei Rinder,
nimm zwei Hühner, nimm zwei Tau-
ben...

Noah kann es fast nicht glauben,
spricht zu Jafet, Sem und Ham:
»Seht den Regen, seht den Schlamm,
das gibt eine Überschwemmung!«

Nur Klein Sem sprach ohne Hemmung:
»Papa, du bist doch plemplem!«
Pitschpatsch gab es da für Sem.
»Wie, du willst wohl ins Gericht?
Siehst die großen Zeichen nicht?«
Eine Arche baut' er, einen Kasten,
groß, geräumig. Alle paßten
sie hinein, alle Noahs und dazu
Tiergewimmel, Maus und Kuh.

Immer höher stieg die Flut,
doch die Kiste, die war gut.
Alles ist im Meer ertrunken,
Noahs Schiff ist nicht gesunken.

Wochenlang in dieser Kiste,
wenn man alles vorher wüßte,
hätte man vielleicht ... Ach, was!
Irgendwie macht es auch Spaß,
wenn man eng und naßgeschwitzt
zwei und zwei im Dunkeln sitzt.
Nur, es riecht den ganzen Tag
schlimmer als im Taubenschlag.

Ist es wie im Taubenschlage?
Gute Frage, gute Frage.
Stichwort Taube, Noah denkt,
Noah denkt, Gottvater lenkt.
»Flieg hinaus, du meine Süße,
Columbine, Columbüse!
Flieg, mein Täubchen, mach uns froh,
und entdecke irgendwo
Land, verstehst du, Land, Land, Land!«

Columbüse hat Verstand
und hat einen starken Glauben
so wie alle Friedenstauben.
Columbüse flattert los.

»Mach's gut, Mädchen, bist famos!«
Alle gucken hinterher,
und dann sieht man sie nicht mehr.

So vergehen wieder Stunden.
Unten bei den armen Hunden
in dem dunkelsten Abteil
sind die Bretter nicht mehr heil.

Und sie kläffen voller Bange.
»Noah, he, das hält nicht lange!«

»Columbüse, endlich, Engel,
hast im Schnabel einen Stengel,
einen Zweig von einem Baum?
Bist du wirklich? Bist du Traum?«

Columbüse muß erzählen.
Jafet, beim Kartoffelschälen,
weint vor Glück in der Kombüse:
Danke, gute Columbüse!

Mox
Der Ochs von Babylon

Lange nach der großen Flut
hatte Mox die große Wut.
Wer war Mox, du kennst ihn nicht?
Mox der Ochs! Wer kennt ihn nicht!

Und da dreht er sich auch schon
in der Traumstadt Babylon,
dreht und schuftet viele Stunden,
denn man hat ihn eingebunden
in die Brunnenschöpfmaschine.
Und er denkt, mich sticht 'ne Biene.

Mox kam einst aus Hintertupf,
wo ein Händler namens Schnupf
Mox aus einem Stall befreite
und ihm Wunder prophezeite.
»Mox, da geht es dir dann gut.
Babylon ist absolut!«

Babylon, die Superstadt,
die den höchsten Kirchturm hat!

Kirchturm? Nein, das ist er nicht,
auch wenn man vom Beten spricht.
Dieser Turm, Mox sagt es ehrlich,
ist topfhäßlich und entbehrlich,
gottlos, eitel, kurz und gut:
Mox hat eine Riesenwut.

»Dafür dreh' ich mich im Kreise?
Hier verbraucht man eimerweise
Wasser, mischt es dann mit Sand.
Dazu holt man mich vom Land?
Schaffen, sparen, und dann dieser
Turmbautick, ein ganz ein mieser!«

»Ich bin müde und nicht faul.
Doch ich halt' mein Ochsenmaul.«

Mox blickt durch. Er ist nicht dumm.
Und dann fällt er plötzlich um,
ohne Warnung, einfach so.
Mox liegt da und ist k. o.

Auf der Baustelle indessen
hat man ihn schon längst vergessen.
Mox steigt aus dem schweren Joch.
Aber wissen will er doch,
was die Stadtbaumeister machen.

Streiten tun sie. Mox muß lachen.
Streiten, streiten immerfort,
man versteht das eigne Wort
nicht und nicht das des andern.
»Bleibt nur hier. Ich werde wandern.«

Mox geht heim in stillem Trott.
Und in Babylon straft Gott
kleine Sünden auf der Stelle.

Unvollendet bleibt der schnelle
Turm und sieht bescheuert aus.

Das Ergebnis dieses Baus:
Niemand will in Babel bleiben.
Und im Sprechen und im Schreiben
herrscht das Chaos viele Jahr,
wie es zu vermuten war.

Wenn man nur ans Bauen denkt,
wird die Seele ausgerenkt.
Und nun haben sie den Schutt,
und die Sprache ist kaputt.

Mox kehrt heim in seinen Stall.
Schnupf holt ihn nicht noch einmal.

Mulimaul
Das Maultier Abrahams

Faul ist nur das faule Faultier.
Fleißig aber ist das Maultier.
Fleißig, freundlich, selten lahm,
so wie Vater Abraham.

Leider ist für Mulimaul
nichts zu tun. Da wird man faul.
Und so fängt das nunmehr faule
Maultier an mit dem Gemaule.
»Mir ist langweilig, i-a!«
Abraham sagt: »Jajaja.«

Abraham hat andre Sorgen.
Soll er doch am frühen Morgen
mit der Sippe durch den Sand ziehn
in ein unbekanntes Land hin.

Kräftig schimpft die gute Sara:
»Nicht mit dir in die Sahara«,
sagt sie deutlich und entschieden.
»Sara, laß mich jetzt in Frieden
mit so kleinlichen Beschwerden.
Du wirst mit mir glücklich werden.«

»Ach, das weißt du wohl genau?
Gott sei Dank, mein Mann ist schlau.
Mit Hurra und mit Gesang
ziehn wir in den Untergang.«

»Sara, bitte hör mir zu.
Ich bin fromm, und fromm bist du.
Haben wir nicht in den Jahren
über tausendmal erfahren
Gottes Huld und Angesicht?«
Sie ganz knapp: »Das find' ich nicht.«

»Sara, du, du wirst schon sehen,
wenn wir durch die Wüste gehen,
und dann kommen wir dort an
in dem schönen Kanaan ...«

»Wenn, mein Guter, wenn, wenn,
    wenn!«
»Himmelkuckuck, also denn
wird jetzt nicht mehr diskutiert.«
Sara lacht ganz ungeniert.

»Das wird dir dann schon vergehen,
wenn die Sandsturmwinde wehen.
Übrigens, du liebe Sara,
ist das hier nicht die Sahara.«

Mulimaul steht da und staunt,
einsatzfroh und wohlgelaunt.
Endlich gibt es Abenteuer.
Jeden Morgen ist ein neuer
Sonnenaufgang irgendwo.
So was macht ein Maultier froh.

Und so kommt man schließlich an
irgendwo in Kanaan.

»Siehst du, Sara, frisch gewagt!
Hab' ich dir's nicht gleich gesagt?«

Aber Sara schweigt verbissen.
Was die Männer immer wissen!
Laß sie reden, na, was soll's!

Sara sucht nach Feuerholz,
zaubert schnell das Leibgericht.
(Manna gab es da noch nicht.)

Und das Maultier? »Ißt du mit?«
Mulimaul hat Appetit.

Pyramiton
Das Kamel des Pharao

Manchmal traurig, manchmal froh,
lebt und herrscht der Pharao
in der zwölften Dynastie.

Und er hat so manches Vieh.
Unter seinen hohen Tieren
will nur eins er nie verlieren,
das Kamel, das ist ganz klar.
Oder sagt man Dromedar?

Jedenfalls, der Pharao
hat für seine Wüstenfahrten
so ein großes Tier im Garten.
Hat natürlich noch ganz viele,
mal zum Sport und mal zum Spiele,
auch in der Kavallerie
jener zwölften Dynastie.

Hochgeschätzt am Königsthron
ist der Herr Pyramiton.

Er ist edel und will reisen,
doch er kann es kaum beweisen,
denn der Pharao reist selten,
haßt den Sand und haßt das Zelten,
sitzt vielmehr in Baumwolltüchern
da und liest in Totenbüchern
oder lernt Mathematik.
Das war damals alles schick.

Und so träumt Pyramiton
oft und viel. Das kommt davon.
Plötzlich sieht er wie im Wahne
eine große Karawane.

Schon ist das Kamel hellwach
und denkt voller Wehmut nach.
So ein Traum wird, wie gemein,
Fata und Morgana sein.

Tags darauf in aller Eile
ist vorbei die Langeweile.

Denn da stehen Abraham,
wie er aus der Wüste kam,
Sara und ein Mann, ein junger,
und sie haben alle Hunger.
Auch das Maultier macht i-a.
»Habt ihr was zum Essen da?«

Nun, da läßt man sich nicht lumpen
und schenkt aus in vollen Humpen,
vollen Schüsseln, vollen Tellern,
was man hat in Königskellern.

Und so kommt Pyramiton
endlich zum verdienten Lohn.
Unter einer Flut von Gaben,
die die Gäste plötzlich haben,
nur damit sie endlich gehen,
ist auch das Kamel zu sehen.
Stolz und würdig wird es schreiten.

Sara kichert schon beizeiten.
Denn sie sieht bereits den Alten
sich da oben krampfhaft halten.

»Abraham, du schaffst das schon.
Nun gib Gas, Pyramiton!«

Eduard von Schwalbenschwanz
und Abrahams Gäste

Eduard von Schwalbenschwanz
fliegt in edler Eleganz
über Baumwipfel und Türme,
durch die Wetter, durch die Stürme,
immer nobel, stets im Frack.
Niemals trägt er Anorak.

Eduard fliegt allenthalben
im Konvoi mit andern Schwalben.
Manchmal – zum Familiengründen –
muß er einen Viehstall finden,
weil das Weibchen sonst nicht brütet
oder brütet, aber wütet.

»Wärest du ein Eierleger
und nicht so ein Düsenjäger,
wäre manches nicht so hart«,
spricht sie dann zu Eduard.

Heute segelt er vergnügt
über Land. Tief unten liegt
Mamre mit den sieben Eichen,
eine Schönheit ohnegleichen.

Merkt es Eduard? Und ob!
Landeanflug, Zwischenstop.

Wen man da so alles trifft:
Eduard kennt keine Schrift
und kann nie die Bibel lesen.

Was sind das nur für drei Wesen
dort im Sand? Die drei Gestalten
könnte man für eine halten.

Eduard versucht zu lauschen.
Schade, daß die Bäume rauschen.
Ausgerechnet jetzt kommt Wind!
Ob die drei wohl Menschen sind?

Und wer wohnt wohl in dem Zelt?
Da schau her, klein ist die Welt:
Eduard hört einen schnarchen.
Und er sieht den Patriarchen
Abraham im Mittagsschlaf,
links die Frau und rechts ein Schaf.

40

Abraham wacht auf und bittet
die drei Fremden wohlgesittet,
seine Gäste nun zu sein.
Nun, sie kommen gern herein.
Sara ist bemerkenswert
in der Küche und am Herd.

Wieder rauscht im Baum der Wind.
»Übers Jahr hast du ein Kind!«
Nach der großen Gästespeisung
kommt das Wunder der Verheißung.

Abraham und Sara haben
ein Jahr später einen Knaben,
einen kleinen Isaak.

Eduard erscheint im Frack
und will selbst das Wunder sehen.

Ganz kann er es nicht verstehen,
weshalb Sara fröhlich hüpft,
nur weil einer ausgeschlüpft.
Keiner spricht von Kindersegen,
wenn die Schwalben Eier legen.
Nun, was soll's? Die Menschen müssen
diese Dinge selber wissen.

Sara hört man schon von ferne
lachen, und sie lacht so gerne.
Und in stiller Eleganz
lächelt Herr von Schwalbenschwanz.

Eiderdaus

Die Eidechse in der wüsten Wüste

In der wüsten Wüste wohnen
nur genügsame Personen:
Wüstenfloh und Wüstenmaus
und der kleine Eiderdaus.

Eidechsen wie er sind heiter,
denn sie brauchen ja nichts weiter
als das, was man hier so findet.
Und wenn mal der Wind sehr windet
und die letzte Spur verweht
und der Sand ins Auge geht,
macht es Eidechsen nichts aus.
So einer ist Eiderdaus.

Aber unter seiner schicken
und in vieler Hinsicht dicken
Haut hat er ein weiches Herz.

Heute ist der dritte März.
»Mein Geburtstag, ich geh' aus.«
Quietschvergnügt kriecht Eiderdaus
durch den Sand. Die Augen schauen
hin und her nach Eidechsfrauen.

Plötzlich hört er leises Weinen.
Und da sieht er einen kleinen
Jungen, und er weiß sofort:
Menschen können diesen Ort
keinen Tag lang überleben,
weil schon bald die Zungen kleben
und die Körper trocken werden.

Eidechsen sind die Beschwerden
nicht vertraut, doch Eiderdaus
kennt sich bei den Menschen aus.

Unter seiner dicken Haut
klopft das Herz. Nun hört er laut
eine Frau: »O Gott, warum
kommen wir hier draußen um?«

Eiderdaus hat keine Tränen
und weiß nichts von Gottes Plänen.

Ismael, so heißt der Knabe,
war einst eine Gottesgabe
für den Vater Abraham,
bis der Isaak dann kam.

Isaak war Saras Sohn,
doch da gab es schon den Jungen,
einem Seitensprung entsprungen,
eben diesen Ismael.

Sara machte keinen Hehl,
daß der unerwünschte Bruder
und die Hagar, dieses Luder,
endlich in die Wüste sollten.
Täglich hatte sie gescholten.

Hagar wird den lieben Kleinen
packen und mit lautem Weinen
und zuletzt auf allen vieren
in den sichern Tod marschieren.

Grausam können Menschen sein.

Doch da mischt sich Jahwe ein.
Er liebt nicht nur Israel,
er liebt auch den Ismael.
»Dieses Kind wird lange leben,
doch es wird Konflikte geben.«
Jahwe wollte dieses Kind.

Und so schickt er nun geschwind
einen Engel, und ganz schnelle
findet Hagar eine Quelle.
Gut geht die Geschichte aus.
Ei der Daus, denkt Eiderdaus.

Paddammel und Arammel
Die Hündchen der Rebekka

Isaak liebt seine schöne
Rebekka und hofft auf Söhne.
Und was Gott einmal versprochen,
hält er auch. Im Bett der Wochen
liegt Rebekka froh im Zelt
und bringt Zwillinge zur Welt.

Vor dem Zelt hat Kunigunde
just geboren kleine Hunde.
Einer grau, das ist Paddammel,
und der Braune heißt Arammel.

Drüben im Entbindungszelt
Isaak in Ohnmacht fällt.
Fünf Minuten liegt er stille,
sucht vergeblich seine Brille,
denn die ist noch nicht erfunden,
und nun jammert er seit Stunden:

»Himmel, Herrgott, hat man Töne,
sind das wirklich meine Söhne?
Einer rötlich stark behaart,
gar nicht nach Familienart,

und der Schönere, na ja,
war wohl erst als zweiter da.
Katastrophe! Schabernack!
Schande!« Armer Isaak!

Rebekka liegt da und liebt
beide, die der Herr ihr gibt,
und sie weiß, mit sechzig Jahren
und den letzten grauen Haaren
ist ihr Mann in einer Krise.

Jahre später auf der Wiese
sehen wir sie froh vereint.
Isaak ist, wie es scheint,
mittlerweile doch versöhnt.

Oh, wie hat er sie verwöhnt,
seine beiden Lausebengel.
Manchmal gibt es ein Gedrängel
um des Papas Süßigkeiten.

»Kinder, hört doch auf zu streiten!
Beide Stückchen sind gleich groß!
Jakob, laß den Esau los!«

Kinderspiel? Das wird noch schlimmer.
»Schweinchen!« schreit der Esau immer.
Jakob nennt den Esau »Ratte!«
Furchtbar endet die Debatte.
»Ratte? – Komm nur her, du Hammel!«

Im Vergleich ist bei Paddammel
und Arammel eigentlich
alles ziemlich ordentlich.

Sollten wir uns dann nicht schämen,
solche Schimpfwörter zu nehmen?
Keine Ratte und kein Schwein
und kein Hammel kann so sein.

Rebekka muß viel erleiden,
und sie ahnt, daß sich die beiden
weiter in der Wolle liegen,

lautstark, bis die Fetzen fliegen.
Was da alles noch passiert ...
Daß der Mensch sich nicht geniert!

Schließlich kann man es kaum glauben,
daß man Vaters Segen rauben
und den blinden alten Mann
so brutal mißbrauchen kann.
Jakob muß vor Esau fliehen,
denn der hat ihm nicht verziehen.

Gott sei Dank, wir sind nur Hunde,
denkt sich da die Kunigunde,
wenn man so den Menschen sieht,
wie er vor dem Bruder flieht.
Und sie blickt mit leichtem Bammel
auf Paddammel und Arammel.

Mullemuh
Das schwarze Schaf und das Liebespaar

Wer viel Geld hat, hat auch Schafe,
weiße, große, fette, brave,
denn nur solche bringen Geld.
So ist Laban eingestellt.

Laban ist im ganzen Land
als ein Geizkragen bekannt.
Auch die Tochter bringt Gewinn,
sie wird einmal Schäferin.
»Rahel«, sagt er, »gutes Kind,
du bist doch nicht farbenblind?

Merk dir, schwarze Schafe taugen
nicht sehr viel in meinen Augen.
Grün sind Frösche, schwarz sind Raben,
ich will weiße Schafe haben.
Weiße Schafe hat man gern,
weiße Schafe sind modern.«

Sprach's und drehte sich dann um.
Er war geizig, aber dumm.

Traurig hörte Rahel zu,
traurig war auch Mullemuh.
Mullemuh war schwarz geboren
wie in Afrika die Mohren.

Ob am Brunnen, ob beim Wandern,
immer gifteten die andern:
»Mullemuh, du bist nichts wert,
nicht einmal, wenn man dich schert.
Niemand, niemand hat dich gern!«

Eines Tages kommt von fern
Jakob, und am Brunnen sitzt er
in der Sonne, und da schwitzt er.
Auf dem Brunnen liegt ein Stein.
Rahel sagt: »Das muß so sein.«

»Mädchen, red doch keinen Quark!«
Donnerwetter, ist der stark:
Mit Hauruck und ganz allein
schnappt er sich den schweren Stein.
Staunend schauen alle zu.

Toller Typ, denkt Mullemuh.
Rahel denkt sich das wohl auch,
denn schon kribbelt es im Bauch,
und da ist ihr alles Wurst.
Nur die Schafe haben Durst.

»Rahel, o du süßer Spatz!«
»Jakob, komm, du bist mein Schatz!«
»Rahel, du, ich steh' auf dich!«
»Jakob, du, ich liebe dich!«
Alle Schafe hören zu,
traurig hört es Mullemuh.

»Oh, wie schön muß Liebe sein!
Warum bin ich so allein?
Warum bin nur ich ein Mohr?
Ach, mein Wunsch in Gottes Ohr!«

Jakob wird fest angestellt.
Er ist tüchtig und bringt Geld.

Lange ist er da geblieben,
viele Jahre, zweimal sieben.
Laban kann zufrieden sein.
Mullemuh ist noch allein.

Da sagt Jakob: Nun ist Schluß,
weil ich wieder heimwärts muß.
Laban denkt sofort: O weh!
und greift nach dem Portemonnaie,
greift nach Gold und Silber schon.

Aber Jakob will zum Lohn
von den Schafen nur gefleckte,
keine weißen, nur gescheckte,
mit ein bißchen schwarz im Haar.
Laban denkt: Wie wunderbar!

Doch dann geht es eins, zwei, drei,
denn da war ein Trick dabei.
Plötzlich bringen weiße Schafe
dicke, fette, gute, brave,
schwarze Lämmer auf die Welt.

Und man ruft in jedem Zelt,
daß es Gott den Seinen gibt
und daß er den Jakob liebt.
»Schwarze Schafe sind die besten,
nur die schwarzen soll man mästen,
schwarze Schafe sind modern!«
Na, das hören diese gern.

Laban macht drei Tage krank.
Mullemuh ist voller Dank.

Auch ein kleiner Außenseiter
kommt mit Gottes Hilfe weiter.

52

Lupupu
Der liebe Wolf und Josefs Geschichte

Nachts ist nirgends viel Betrieb.
Alles schläft und ist ganz lieb.
Nur die Wächter sind noch wach,
und die Denker denken nach.

Nachts mag keiner in den Wald.
Und die Wüste ist sehr kalt.
Außerdem ist alles grau:
Katz und Maus und Mann und Frau.
Und der Mond macht sie nicht bunter.

Einer aber wird jetzt munter:
Lupupu. Er liebt die Nacht.
Tapp, tapp, tapp, er läuft ganz sacht
auf dem weichen Wüstensand
hin und her im Morgenland.

Das hält Wölfe jung und fit
und macht großen Appetit.

Darum liegen alle
Schafe halbwach in der Falle,
blöken alle Viertelstund
nach dem Schäfer und dem Hund.

»Immer wenn die Wölfe heulen,
denken sie an deine Keulen.«
»Psst, da kommt er mit dem Beil!«
Doch das ist ein Vorurteil.
Lupupu hat diese Nacht
selber manches mitgemacht
und wird in den nächsten Wochen
nur Gemüsesuppe kochen.

Ja kein Lamm, denkt Lupupu.
Und wie kam das? Nun hör zu ...

Lupupu sieht junge Männer,
und als guter Menschenkenner
spürt der kleine Wolf sofort:
Das gibt Totschlag oder Mord.

Josef, einer gegen alle,
geht den Brüdern in die Falle.
Seht, wie Papas Liebling plärrt!
Und schon wird er eingesperrt.
Sie zerreißen ihm das Kleid.

Doch da trifft zur rechten Zeit
eine Karawane ein.
Und so soll es denn auch sein,
daß die Brüder ihn verkaufen.
»Kannst ja nach Ägypten laufen,
immer hinter den Kamelen.«
Oh, sie haben Räuberseelen.

Jakob sieht das schöne Kleid.

»Vater, ach, es tut uns leid,
unser Josef lebt nun nimmer,
denn ein Wolf, ein ganz ein schlimmer,
hat ihn gestern aufgefressen!«

Lupupu wird nie vergessen,
was er damals alles lernte.
Als er zitternd sich entfernte,
wurde ihm so manches klar.

»Ich bin selber in Gefahr,
so ein schlimmer Kerl zu sein.«
Und ihm fielen alle ein,
alle Lämmer seines Lebens.

Diese Nacht war nicht vergebens.
»Nie mehr Keule und Ragout!«
So zerknirscht war Lupupu.

Von Nasch bis Simsala

Nasch
Das Kätzchen im Hause Potifar

Nasch gehört Frau Potifar
und hat immer Schmuck im Haar,
heute Bänder, morgen Glöckchen,
sonntags trägt sie gar ein Röckchen,
läßt sich kraulen, und sie schnurrt dann,
die verwöhnt ist von Geburt an.

Im Haus Potifar sind Mäuse
daher seltener als Läuse,
und man nimmt kein Rattengift.

Was Frau Potifar betrifft,
holt sie sich die eitle Katze
immer dann auf die Matratze,
wenn sie ihren Ehemann
wieder mal nicht leiden kann.

Das kommt vor in ihrem Alter,
denn ihr Mann ist ein Verwalter.

Da tritt Josef in die Szene.
Bald darauf kommt also jene
heikle Stelle in der Schrift,
wo die Frau den Jüngling trifft.

Potifar hat Josef neulich
eingekauft, jung und jungfräulich,
bärenstark und sprachgewandt,
kerngesund vom Hinterland.

Sklaven gibt es viel am Hof,
doch die meisten sind recht doof.
Dieser Neue ist dagegen
einwandfrei, ein wahrer Segen.

Groß ist er und wunderbar,
findet auch Frau Potifar.

»Willst du nicht mal bei mir sein,
Josef, lieber Josef, mein?
Potifar wird grau im Bart ...«
Doch der junge Mann bleibt hart.

Da kommt also dieser Junge,
schwarzgelockt und braungebrannt,
ein Hebräer mit Verstand,
eine Aufsteigernatur,
sieht die Schönheit – und bleibt stur.

Nasch ist angenehm berührt.
So ein Kerl wird nicht verführt,
so ein Kerl weiß, was er will.
Winter, Frühling, März, April.

Hulda Potifar bleibt dran.
Einmal kommt der junge Mann
unschuldig und ahnungslos
in ihr Haus, da legt sie los.

Als sich Josef widersetzt,
fühlt sich Hulda sehr verletzt,
schreit gleich: »Zetermordio!
Polizei und Pharao!
Hilfe! Hulda in Bedrängnis!«
Josef wandert ins Gefängnis.

Hulda weint in ihrer Kammer,
denn nun kommt der Katzenjammer,
und den hat sie nicht geübt.

Nasch ist ebenfalls betrübt.
Josef aber wird im Kerker
immer frömmer, immer stärker.

Hannomack
Der Esel des kleinen Benjamin

Arm und reich, das gab es immer.
Immer war's für Arme schlimmer
als für Reiche, wenn ein Jahr
Mißernte und Hunger war.

Josef hat schon längst als reicher
Vizekönig tausend Speicher.
Seine Brüder, Sack und Pack,
auch der Esel Hannomack
stehen hungrig vor der Tür.
Josef kann zwar nichts dafür,
doch dann gibt der gute Mann
ihnen Korn, soviel er kann.

Fröhlich zieht man Richtung Norden.
Alle sind vergnügt geworden,
lachen, singen unterwegs,
manchmal gibt es einen Keks.

Stopp, da steht ein Grenzsoldat.
Und schon hat man den Salat.
Wer hat eine Vase drin?
Ausgerechnet Benjamin.

Also kehrt! Mit Sack und Pack
und dem Esel Hannomack
Richtung Süden! Und sie flehen
Josef an, er soll doch sehen,
daß man einem alten Mann
nicht das Liebste nehmen kann.

Josef wird ein bißchen rot.
Offiziell ist er ja tot,
viele, viele Jahre schon.
Und nun ist der tote Sohn
zweiter Mann beim Pharao,
quicklebendig, einfach so?

Reue packt ihn an der Nase,
die Geschichte mit der Vase
tut ihm leid. Er will erzählen
und die Brüder nicht mehr quälen.

Hannomack weiß lange schon:
Benjamin, dem jüngsten Sohn,
hat man heimlich zugesteckt,
was man dann empört entdeckt.
Jene Vase, gut gemeint,
hat die Brüder zwar vereint,
doch er hält den ganzen Trick
nicht für gut und nicht für schick.

Das soll Bruderliebe sein?
Töricht ist es und gemein.
Menschen sind ein Lumpenpack.
Doch wer fragt schon Hannomack!

Josef kann sich nicht mehr halten.
Weinend denkt er an den alten
Jakob, sieht die Brüder bangen.

Josef fühlt sich liederlich.
Wozu soll er sich verstecken,
wozu seine Brüder schrecken?
Ist die Liebe nicht am Ziel?

Schluß jetzt mit dem bösen Spiel,
weg mit Masken, Schminke, Puder:
»Ich bin Josef, euer Bruder!«

Hannomack ist sehr zufrieden.
Mal nach Norden, mal nach Süden,
einmal hungrig, einmal heiter:
Ewig geht das nicht so weiter.

»So viel Schnick und so viel Schnack!«
Doch wer fragt schon Hannomack!

Hippopotame
Die Nilpferdfrau und das Findelkind

Wenn die Wetterfrösche steigen,
wenn sich keine Wolken zeigen,
wenn die Leute barfuß laufen
und sich Sonnenschirme kaufen
oder Himbeereis am Stiel,
ei, dann ist es heiß am Nil.

Beine hoch bis zu den Waden:
Hippopotame geht baden.
Baden ist ihr Zeitvertreib,
denn sie ist ein Nilpferdweib.
Stundenlang steht sie im Schlamm.
Sonst hat sie nicht viel Programm.
Manchmal bläst sie mit der Nase
unter Wasser eine Blase
oder planscht mit ihrem Zeh,
gute Hippopotame!

Doch auf einmal: Was ist das?

Auf der Brühe schwimmt etwas,
schwimmt und schreit und treibt im
    Wind:
Binsenkorb mit Findelkind
gondelt bald auf hoher See …

Aber Hippopotame
stellt sich quer und hebt den Po.
Da ist auch die Mutter froh,
denn sie hat ja – wie so oft –
auf den lieben Gott gehofft,
der das Kind schon schaukeln wird.
Und sie hat sich nicht geirrt.

Hippopotame steht still,
bis jemand das Baby will.
Denn sie weiß: Der Pharao
handelt grausam und ist roh:

»Kleine Buben werden groß,
und dann schlagen sie mal los,
wollen Freiheit, wollen Macht …
Also, jetzt gleich umgebracht!«

Hippopotame ist schlau,
steht ganz still und weiß genau,
in drei Stunden kommt gewöhnlich
die Prinzessin höchstpersönlich,
steigt aus ihrer Garderoben,
wäscht sich unten, wäscht sich oben,
folgend ihrem Reinheitstrieb.

Und sie gilt als kinderlieb!
Also wird sie, wolln wir wetten,
das Hebräerbüble retten.

Später ist der kleine Mose
der Befreier, der ganz große.

Ja, so kam es, ungelogen,
und als sie dann wirklich zogen,
in die Freiheit, in das Land,
das man nur im Traum gekannt,
stand sie da, die gute Fee,
unsre Hippopotame.

Steht wie immer in der Soße,
schaut ihm nach, dem starken Mose,
und der dreht sich nicht mal um.

Das ist ihr dann doch zu dumm.
Winkewinke tät' nicht schaden!
Hippopotame geht baden.

Herr Jemineh
Der Hammel am brennenden Dornbusch

Mose ist als junger Mann
Schafhirt im Land Midian,
und damit nicht viel passiert,
hat er so ein Tier dressiert,
einen Hammel, der sagt Mäh,
und er heißt Herr Jemineh.

Hammel sind Persönlichkeiten,
deshalb können sie gut leiten.
Dieser Meinung sind bald viele.
Und Freund Mose ist am Ziele.

Zusätzlich für Feiertage
führt er kleine Glöckchen ein.
Auch Herr Jemineh darf läuten.
Das soll allen dann bedeuten,
daß man eifrig sich versammel
um den dicken Leitungshammel.

Mose kann dabei gut schlafen,
hat er doch bei seinen Schafen
endlich eine Hauptperson.
Tröstlich ist der Glockenton.

(Wie gesagt, die Glöckchen tragen
alle nur an Feiertagen.)

Sonntag ist's, und Mose schreitet
durch den Sand. Der Hammel leitet.
Friedlich ist man so beisammen.
Plötzlich steht ein Busch in Flammen.
Ängstlich blöken alle Schafe.
Mose hört im Feuer Jahwe.
»Hör' ich recht? Ich glaub', ich spinn'.«

»Ich bin da, bin, der ich bin.«

Mose spürt in dem Moment
wie bei einem Sakrament
Gottes Gegenwart im Zeichen,
unsichtbar und doch ganz dicht.

Nur die Schafe hören nicht.
Sehen nur das Feuer brennen.
Sehen ihren Führer rennen.
Fürchten einen Wüstenbrand.
So weit reicht noch ihr Verstand.

Mit Gebimmel und Gebammel
folgen sie dem dicken Hammel.
Eines Tages stirbt, o weh,
dick und fett Herr Jemineh.
Traurig baut man in der Wüste
für den Führer eine Büste,
doch auch diese wird versanden.

Mose aber hat verstanden.
Jene Stunde bleibt ihm teuer.
»Ich bin da«, sprach Gott im Feuer,
»ich bin da und bin dir treu,
alle Tage nah und neu.

Einmal kommt der Exodus,
dann ist mit der Knechtschaft Schluß.
Alle werdet ihr es lernen:
Gott wohnt nicht in seinen Sternen,
nicht im Feuer, nicht im Wind,
sondern da, wo Menschen sind.
Spürst du mich? Ich bin dir nah.
Denn ich bin der Ich-bin-da.
Also, Mose, sei nicht bang,
denk an mich, dein Leben lang.«

Schlawittich

Der Affe und die ägyptischen Plagen

Auf dem Markt von Memphis kauert
Piesack, der sich selbst bedauert.
Piesack ist ein Marktgenie:
gestern noch mit Lotterie,
heute mit gebrannten Mandeln,
morgen mit Computern handeln.

Piesack kauft stets günstig ein,
sei es Teppich, sei es Wein.
Für Touristen hat zu bieten
Piesack kleine Pyramiden.

Um so mehr macht uns erstaunen:
Piesack heut bei schlechter Launen!
Auch sein ständiger Begleiter
wirkt bestürzt und weiß nicht weiter.

Er wohnt unter Piesacks Fittich,
ist ein Äffchen, heißt Schlawittich,
ordnet Scheren, ordnet Zangen
und hilft Piesack Kunden fangen.
Kundenfang mit kleinen Tricks:
oh, da kennt Schlawittich nix.

Aber heute wirkt kein Scherz.
Ängstlich schaut man himmelwärts.
Denn es stöhnt seit vielen Tagen
Memphis unter üblen Plagen.

»Nun, Schlawittich, was meinst du?
Gibt der Himmel heute Ruh?
Ob zur Abwechslung mal Geld
auf den kleinen Teppich fällt?«
Doch sie lachen beide nicht.

Gott vollzieht ein Strafgericht.

Blut im Nil, so fing es an.
Tausend Frösche kamen dann.
Als die Frösche endlich starben,
dufteten sie tagelang.
Doch man rechnete schon bang
auf dem Marktplatz und am Hofe
mit der nächsten Katastrophe.

Mückenschwärme, Ungeziefer,
Rinderseuche, Hagelsteine
machen ihnen schließlich Beine.

Schlußverkauf, schreit Piesack endlich.
Für Schlawittich unverständlich
spät, doch weg jetzt, ohne Weinen,
weil die Heuschrecken erscheinen.
Das ist Plage Nummer acht.
Also, jetzt wird zugemacht!

Piesack schickt das Äffchen fort.
»Ich bin pleite, Ehrenwort!
Vielleicht werde ich dir schreiben.
Du kannst ja in Memphis bleiben.
Ich geh' nach Amerika.«
Traurig sitzt Schlawittich da.

Tagelang ist alles dunkel,
und Schlawittich hört Gemunkel.
Vorsicht, sagen manche Leute,
die Entscheidung fällt noch heute.
Heute nacht kommt eine Plage,
zehnmal schlimmer als die Tage,
wo uns Frösche und Insekten
oder Finsternis erschreckten.

Mose wird die Sonne scheinen,
aber wir, wir werden weinen.

Ach, Schlawittich, heute nacht
werden Kinder umgebracht,
alle Erstgeborenen der Stadt.

Wenn man einen Herrscher hat,
der es so weit kommen läßt,
wünscht ein jeder ihm die Pest.

Gut, die Plagen sind vorbei,
und das Sklavenvolk ist frei,
doch da sind im Morgenrot
die Ägypterbuben tot.

Wenn es noch einmal so geht,
hör des Äffleins Nachtgebet:

»Rett uns, lieber Gott, ich bitt' dich,
ohne Plagen, dein Schlawittich.«

Und er schluchzt noch viele Stunden.
Denn da gehen gute Kunden.
Ob die Affen beten können?
Nun, man wollt' es ihnen gönnen.

Rotari Blubb
Der Rotbarsch vom Roten Meer

Bis ans Meer marschiert sehr tüchtig
unser Volk, noch ist man flüchtig,
Israel, voran der Mose.
Doch das Herz rutscht in die Hose.

Ziemlich scheußlich ist die Lage.
Schwimmen kommt hier nicht in Frage,
denn man sieht, trotz guter Sicht,
an das andre Ufer nicht.
Auch ein Rückzug geht nicht mehr,
dort naht schon das Militär.

Mose wird den Arm erheben.
Israel wird überleben.
Trocknen Fußes schreitet man
zügig Richtung Kanaan.
Die Aktion heißt hinterher
Durchzug durch das Rote Meer.

Später wird vor allen Dingen
man am Sabbat davon singen,
weil man danken will und muß
für den großen Exodus.
Ähnlich – und mit großer Pracht –
singt man in der Osternacht.

Doch für Fische ist es hart,
wenn der Herr mit Wasser spart.
Und man ist im Meeresgrunde
tief beleidigt bis zur Stunde.

Fischlein, seht doch die Befreiten
fröhlich durch die Wüste schreiten,
und sagt selbst, ob das nicht stimmt:
Keine Schuppe ward gekrümmt
einem Fisch beim Exodus.
Also, macht jetzt endlich Schluß
mit dem stummen Fischverhalten!

Doch mit tiefen Sorgenfalten
sagt Rotari Blubb: »Nein, nein,
denn uns fällt dazu noch ein,
wie die jungen Männer schrien,
denn sie konnten nicht mehr fliehn,
haben traurig noch gewunken
und sind jämmerlich ertrunken.
Die ägyptischen Soldaten
waren nicht sehr gut beraten,

denn mit Kampfwagen und Pferden
kann man hier nicht glücklich werden.
Warum waren sie so dumm?«

Ja, Rotari Blubb, warum?
Traurig und auch schwer verständlich
ist ihr Tod, doch sag nun endlich:
War es nicht doch wunderbar,
wie Gott bei den Seinen war?

Unser Fisch schweigt in der Tiefe.
Und so sehr man nach ihm riefe,
käm' er nimmermehr nach oben,
und schon gar nicht, um zu loben.

So rumoren diese Fragen
ungelöst in seinem Magen.

Rülps Rüppeli
Der Sandfuchs und das Manna

Die Familie Rüppeli
sieht man in der Wüste nie.
Nicht, weil es sie hier nicht gibt,
doch der Fuchs ist unbeliebt.

Da kommt Mose, und man spricht
unverhohlen vom Gericht:
»Sterben werden wir hier draußen!
Fleischtopf!« fordern die Banausen.
Mose blickt sie traurig an.
»Du mit deinem Kanaan«,
schallt es böse aus dem Lager.

In der Tat, so dürr und mager
war man in der Knechtschaft nie.
Und das schlägt Rülps Rüppeli
auf den guten Appetit.
Auch die Lämmer, wie er sieht,
haben unter Wollekleidern
die Figur von Hungerleidern.

Während die Hebräer murren,
geht Mose nachts mit Magenknurren
in die Wüste nebenan.
Und er ruft den Himmel an.

Es wird Morgen, siehe da,
keiner weiß, wie es geschah.
Rülps liegt noch in seinem Bau,
da sind Kinder, Mann und Frau
schon beim Frühstück froh zugange.
»Manna gibt es, fragt nicht lange!«

Nur Klein Samuel und Hanna
fragen: »Mama, was ist Manna?«
Aber Mose unterbricht:
»Sprecht mit vollem Munde nicht.«

Rülps wacht auf. Da liegt ein Duft
appetitlich in der Luft.

Mit dem Satz »Jetzt oder nie!«
tritt der kleine Rüppeli
ohne Scheu wie selbstverständlich
an den Frühstückstisch, na endlich.

Fuchs und Lamm und Volk und Hirten
lassen sich von Gott bewirten.
»Iß dein Manna und sei froh!
Denke an den Pharao!
Denke an die Sklaverei!
Denk daran, du bist nun frei!

Israel, vergiß das nie!«
Andächtig hört Rüppeli,
was der Mose alles weiß.
Ob er weiß, daß Rülps ich heiß',
denkt er dann, und augenscheinlich
ist sein Name ihm jetzt peinlich.
Gerne will er vornehm sein.

Tags darauf ist er allein.
Weiter zieht die Karawane.
Rülps erhofft sich süße Sahne
oder Schokoladensoße.
Doch das Wunder zieht mit Mose.

Unser Füchslein bleibt ganz schlau
oberhalb von seinem Bau,
blickt zum Himmel, doch vergebens.
Und im Laufe seines Lebens
wird er ungeheuer weise.

»Kinder«, sagt er dann ganz leise,
»laßt das Gänsestehlen sein.
Manchmal regnet etwas frisch
knusprig auf den Frühstückstisch.«

»Gibt es das mit Garantie?«

»Nein«, sagt Papa Rüppeli.

Lawasch
Die Kuh und das goldene Kalb

Manche Kuh kapiert ganz rasch,
beispielsweise Frau Lawasch.

Grün ist das gelobte Land,
brennend heiß der Wüstensand.
Durstig sind sie, aber wie!
Und man murrt, denn auch das Vieh
ist erbärmlich anzuschauen.
Alle Tage Disteln kauen?

Aaron schimpft, und Mose schweigt,
bis er ins Gebirge steigt,
einsam auf den Sinai.

»Seht, dort klettert das Genie!«
Jetzt kommt Stimmung auf im Volke.
Mose hofft auf Offenbarung.
Aaron setzt auf die Erfahrung,
und da will man etwas sehen:

»Wer will zum Modell uns stehen?«
Alles schweigt. Ein Götzenbild?
Aaron wird allmählich wild,
denn er weiß ja, was jetzt fehlt.
»Keiner? Dann wird ausgezählt!«

»Ich und du und auch die Kuh.«

Und so kommt Lawasch dazu.

Gott sei Dank, es geht sehr schnell.
Man blickt kaum auf das Modell.
Fertig ist das Götzentier.

Siehe da, es ist ein Stier,
wie man sieht, und keine Kuh.
Ganz aus Gold, das ist der Clou.
Trotzdem wirkt das Standbild lasch.
»Männer!« murmelt Frau Lawasch.

Im Gebirge hört man Toben.
Mose ist noch immer oben.
Frau Lawasch sieht Blitz und Qualm,
und sie denkt: »Da brennt die Alm!«
Mitleid rührt ihr gutes Herz,
staunend blickt sie himmelwärts.
Nichts Genaues sieht man nicht.

Auf dem Gipfel aber spricht
Gott zu Mose: »Ihr sollt leben.
Zehn Gebote will ich geben.
Hör gut zu, die Stunde drängt!«
Mose zittert und empfängt.

Doch das Volk – daß Gott erbarm! –
tanzt schon um den Stier herum.
Manchmal macht Erfahrung dumm,
wie sich wieder einmal zeigt.

Mose schimpft, und Aaron schweigt.

»Schlagt das Goldvieh nun in Stücke!
Und daß keiner sich hier drücke!«
Aaron schämt sich, er ist schuld
wegen seiner Ungeduld.

»Doch Milch und Honig, guter Mann,
gibt es erst in Kanaan!«

Simsala
Die Eselin des Bileam

Bileam gilt zwar als Seher,
doch die Eselin ist näher
an den wunderbaren Dingen,
denn sie hört die Engel singen
manche gute neue Mär.
Nun, wo hat sie das bloß her?

Eselin und Esel werden
viel geschunden hier auf Erden,
stecken böse Schläge ein.
»Hörst du schon die Engelein?«

Bileam denkt recht bescheiden.
Simsala muß viel erleiden.

Schmerzen machen Mensch und Vieh
einfühlsam, man weiß nicht wie.
Manchmal endet das ganz bös.
Manchmal wird man religiös,
so zum Beispiel Simsala.
Seher sind dem Himmel nah.
So kommt Bileam zu Brot.

König Balak ist in Not.
Seine Späher sagen: »Oh,
gar nicht weit von Jericho
lagern Leute, ziemlich viele,
und die haben uns zum Ziele,
uns, die braven Moabiter.
Großer König, das ist bitter!«

Balak wiegt sein weises Haupt.
Und da er an Wunder glaubt,
schickt er Boten zu dem Seher.
Seher sehen mehr als Späher.

Bileam soll nun das fremde,
unbekannte, unverschämte
Volk mit einem Fluch verfluchen,
daß sie rasch das Weite suchen.

Doch das Volk ist auserwählt.
Wie die Bibel uns erzählt
– und sie tut es hier recht heiter –,
kommt das Volk erfolgreich weiter.

Weißt du, wie es dazu kam?
Simsala bringt Bileam
erst zum Fluchen, dann zum Segnen,
weil sie einem Mann begegnen.

»Vorwärts, vorwärts, dummes Vieh!«
Engel sieht der Seher nie.

Dreimal steht der Engel da.
Dreimal stoppt Frau Simsala.
Lange braucht Herr Bileam,

schließlich hat man ein Programm.
Lange kratzt er sich am Kinn.

Die Geduld der Eselin
hat den guten Mann geschafft.
Bileam schickt voller Kraft
Segenssprüche in das Tal,
wirklich gut, und das dreimal.

Balak ist natürlich sauer,
denn der Segen ist von Dauer.

Von Horst bis Askalon

Horst
Der Sperber von Jericho

Horst war ehedem zu zweit,
doch er liebt die Einsamkeit.
Einsam lebt ein Sperber länger,
denn er ist ein Einzelgänger.

Also kam es, daß er floh.
Horst wohnt nun in Jericho.

Keiner kennt ihn in der Stadt.
Helga schrieb, sie sei ganz platt,
ziemlich laut sei doch der Städter.
Horst schrieb: »Lauter, aber netter!«
Helga schrieb: »Dann komm zurück,
du, das ist ein starkes Stück!«
Darauf schrieb Horst gar nicht mehr.
Darauf Helga: »Bitte sehr.«

Und sie saß erbost im Forst
und vermißte ihren Horst.

Der hockt unterdessen froh
auf dem Turm zu Jericho.

Diese Stadt ist längst am Ende.
Morsche Mauern, morsche Wände.
Und wer kommt da mit Hurra
und Musik? Der Joschua.

Horst ergrimmt: In nächster Näh,
lautes Täteratätä.
Das Volk Israel ist da.
Müde kommt ein Ha-ha-ha
aus den Mauern, doch schon bald
geht es rund, das Horn erschallt.

Israel und Joschua
brüllen ihr Halleluja,
bis die morschen Mauern brechen.
Und die Stadtbewohner sprechen:
»Einmal kommt das sowieso.«

Horst betrachtet Jericho
und verläßt den Turm mit Grausen.
Nein, hier will er nicht mehr hausen,
das ist ihm nun doch zu laut.
Außerdem wird jetzt gebaut.

Und es flog der Flieger Horst
zu der Helga in den Forst,
und je mehr die Helga schrie,
desto schöner fand er sie.

»Helga, du, ich bin so froh,
weißt du, dieses Jericho
war ja auch nicht so das Wahre.
Jedes Kind lernt dort Fanfare.
Nur mit Pauken und Trompeten
können die so richtig beten.
Auf dem Turm, man kann nur staunen,
hört man morgens schon Posaunen.
Und dann fallen Mauern um.«

»Tja«, sagt Helga, »nur zu dumm,
daß ich dich noch immer mag.«

Und der Nachtigallen Schlag
tiriliert im dunklen Forst
für die Helga und den Horst.

Susani

Der Nachtigallen Schlag und Davids Spiel

Susani sang schon im Ei.
Denn der Nachtigallen Schrei
kommt uns musikalisch vor.
Susani sang bald im Chor.
Sie war weder dumm noch faul,
und ihr Ruf drang bis zu Saul.

Saul war König und erfolglos.
Oh, so hat man bald das Volk los.
Seine Stimmung war entsprechend.

Weder nachdenklich noch zechend
fand der König Saul sein Glück.
»Mädchen, spielt mir noch ein Stück«,
sprach er zu der Flötengruppe,
doch im Grunde war es schnuppe.

Saul blieb finster und nervös.

»Ruhe, macht mir kein Getös!
Schluß jetzt, alles nur Gejaul!«
Launisch war der kranke Saul.
»Fort mit euch, ich mach' euch Beiner!«
Eines Tages fand sich einer,
der den rechten Ton verstand.

David hieß er und war blond.
Rechnen hat er nicht gekonnt,
aber auf der Harfe klimpern.
»Du, mit solchen schönen Wimpern,
blauen Augen, blonden Locken,
darfst du nicht bei Schafen hocken.«
So hat man ihn angeworben.

Manche Frau ist schier gestorben,
als sie David spielen sah
auf der Burg zu Gibea.

Ging des Königs Stimmung runter,
machte David ihn schnell munter.
Doch dann wollte Saul noch mehr.
»Sing ein Lied, du kleiner Bär!«

David wurde blaß und rot.
»Sicher schlägt er mich gleich tot.«

»Bürschlein, sing, nun fang schon an!«
Doch er singt nicht mehr Sopran,
und er traut sich nicht im Alt.
Saul wird wild: »Ich mach' dich kalt!«
Doch er kommt von ihm nicht los.
Keiner spielt so virtuos,
daher läßt mit lautem Fluchen
Saul im Land nach Sängern suchen.

Und man findet ein Genie.
Wen wohl? Fräulein Susani.

Susani ist nun ein Star,
wie es zu erwarten war.
Täglich eine Stunde schaffen
ihre zarten Wunderwaffen,
daß der König wieder lacht.

Oft schon holt er früh um acht
– unvermittelt, Knall auf Fall –
Schäfer und Frau Nachtigall.
Dann verscheuchen unsre beiden
spielend seine Nervenleiden,
und der König lobt sie tüchtig,
denn inzwischen ist er süchtig.

Die Moral von der Geschicht':
Kinder, laßt das Üben nicht,
eine Stunde ist nicht viel,
ob Sopran, ob Harfenspiel.

Sabine von Saba
Die Kameldame und König Salomo

Salomo war prominent
mindestens im Orient,
galt als ungeheuer weise,
weiser noch als Tattergreise.

Kennst du Saba? Die Sabäer?
Die Sabine kennt man eher,
dabei ist sie ein Kamel
bei dem Stallknecht Raffael.

Doch die schöne Königin
zieht es zu dem König hin,
weil um Salomo, den Weisen,
alle ihre Träume kreisen.
Wenn er wirklich weise ist,
weiß er, daß du weiser bist,
aber woher weiß man das?
Wenn dich solche Fragen treiben,
kannst du nicht in Saba bleiben.

Salomo ist nicht verwundert.
Fröhlich löst er über hundert
Rätsel dieser schönen Dame.

Wär' Schneewittchen nun ihr Name,
und Sabine wär' ein Zwerg,
und da wäre noch der Berg
und sie wären dann ein Pärchen,
wär' es wirklich wie im Märchen.

Doch die Königin zieht bald
wieder ab. So ist es halt.
Kein Geschmuse, keine Träne.

Rührend war die Abschiedsszene:
Fünfundachtzig Zentner Gold.
»Bitte, nehmt, soviel Ihr wollt,
Salomo, Ihr seid der King!«

»Wahnsinn! Mensch! Das is'n Ding!«
Salomo rief seinen Leuten,
die sich offensichtlich freuten.

Hui, im Waschkorb und im Sack
trugen sie gleich huckepack
Gold und Silber und Juwelen.
Und kein Helfer wollte fehlen.

Mancher stopfte ins Kostüm
eine Flasche mit Parfüm
oder steckte eine Dose
Salböl in die Unterhose
oder salbte gleich sein Haar,
was bei vielen nötig war.

Keine Perle ging verloren.
Selbst die Ringe von den Ohren
hat man fröhlich eingepackt.

Na, nun bin ich aber nackt,
denn sie sah sich voller Schrecken
ohne Sattelzeug und Decken.
Ja, ein Packer griff nicht faul

ihr sogar noch in das Maul,
ob da nicht ein Goldzahn sitzt
oder sogar Platin blitzt.

So ein Mann macht Salomo
erstens reich und zweitens froh.

Doch Sabine kam ins Grübeln,
bis ihr unter allen Übeln
diese Gier als Grund erschiene.
So sehr grübelte Sabine.

Doch sie grübelte nicht weiter,
denn der König wirkte heiter,
und auch ihre Königin
lächelte mit holdem Sinn.

Primieze
Die Katze der tollen Judith

Die Geschichte ist brutal.
Also denn, es war einmal
eine Katze, die war lieb,
und ein Feldherr, der es trieb,
und ein Städtchen, das war klein,
und ein Weib, das ganz allein
jenem Schuft den Kopf entfernte.
Keiner weiß, wo sie das lernte.

Diese Judith gilt bis heute
als ein Vorbild. Vorsicht, Leute!
Das ist ziemlich mißverständlich,
denn es geht doch hier letztendlich
um ein tieferes Symbol.

Trotz der ungenauen Zahlen

stehen zehntausend Soldaten
vor Betulia, der Stadt.

Judith setzt sie bald schachmatt.
Judith schleicht sich nachts hinaus,
frisch frisiert, mit Blumenstrauß,
Ohrschmuck, Halsschmuck, Nasen-
      schmuck
und mit einem edlen Schluck.
»Ist der Feldherr endlich blau,
schlag' ich zu.« Klug war die Frau.

Heimlich ging Primieze mit,
weil sie stets an Sehnsucht litt,
wenn ihr Frauchen sich entfernte.
Was das Kätzchen alles lernte!

Wie die Lage sich doch wendet,
wenn man eine Judith sendet,
die allein den Feldherrn killt.
Gut, sie paßt nicht ganz ins Bild
von der Hausfrau, das ist wahr.
Doch ist nicht bei Kriegsgefahr
besser als die Frau mit Topf
allemal die Frau mit Kopf?

Mit dem Kriegerkopf im Tuch
kommt sie heim. Das Judithbuch
tröstet etwas ungewöhnlich,
doch das Ende ist versöhnlich.
Judith ist der Held des Jahres.

Und so lernt man Wunderbares,
daß ein Krieg mit Frauenlist
ziemlich schnell zu Ende ist.

Stundenlang muß sie berichten.
Später wird man dazu dichten.
Und Primieze ist ganz groß,
liegt bei Judith auf dem Schoß,
denn sie war ja selbst dabei.

Und? Wie war es? Einwandfrei.

Hei, da schnurrt sie vor Vergnügen,
denn sie hört so gern von Kriegen,
aber nur von jenen Schlachten,
die die Dichter sich erdachten.

In Betulia ist man halt
sehr betulich, wenn es knallt.
Und man spricht normalerweise
kaum davon und nur ganz leise,
daß man Typen dieser Sorte
umbringt ohne große Worte.

Kanniball Nimmer
Der Löwe und Daniel in der Grube

Kanniball ist eine Katze.
Doch mit seiner schweren Tatze
und den Löwenzähnen, glaubt ihr,
Kanniball sei auch ein Raubtier.
Das ist falsch.

Sein Herr ist Meder,
und das weiß im Land doch jeder:
Wer beim Mederkönig ist,
weder Wurm noch Mäuse frißt,
sondern nur Spezialitäten,
ausgesucht von klugen Räten.

Kanniball hat eine Tante,
diese führt ein Ristorante.
Locker, leicht, man wird nicht dick.
Das kommt von dem Möwentick:

Auf die Pizza legt sie Möwen,
und das mögen ihre Löwen.
Kanniball ist auch so einer.

Menschen findet er noch feiner.
Und die allerfeinste Stube
ist die noble »Löwengrube«.
Dort speist man besonders gerne
und sitzt schick in der Zisterne.
Kanniball ist Stammgast hier.

Manchmal trinkt er erst ein Bier,
weil der Kellner nicht gleich spurt,
und dann schimpft er: »Hör mal, Kurt,
wenn ich hier noch lange warte,
fresse ich die Speisekarte.«

Grausam kommt uns diese vor:
Menschenfuß und Menschenohr.
Wenn es Missetäter waren,
warf man sie mit Haut und Haaren
vor die Löwen, einfach so.
Oh, wie sind die Menschen roh!

Unser Löwe Kanniball
dachte dabei jedesmal,
daß vielleicht noch besser schmeckten
die Satrapen und Präfekte**n.**
Doch die Herren trifft es nie.

Daniel war ein Genie,
talentiert und tadellos.
Doch die Eifersucht war groß.
Die Kollegen trieben Spott,
denn der Daniel glaubt an Gott.

Und man schob ihm Fehler unter,
warf ihn in die Grube runter,
dabei war der Daniel heilig.

Kanniball hatt's nicht so eilig
und verliert den Appetit.
Denn der Daniel kommt zu dritt:
Daniel, Grubenwächter, Engel.
In der Grube herrscht Gedrängel.

Unser Daniel bleibt am Leben,
denn ein Engel steht daneben.

Und am andern Tag der Meder?
Ei, der freut sich, das merkt jeder.

»Werft die Schufte in die Grube!«
Doch den Löwen hat der Bube
unterdessen schon bekehrt.
Während man sich lauthals wehrt
und den Löwen vor sich sieht,
summt der schon ein Psalmenlied.

Menschen mag der Löwe immer,
fressen will er sie jetzt nimmer.

Askalon
Der phantastische Walfisch

Irgendwo im Mittelmeer,
oh, es ist sehr lange her,
kämpft ein Segelschiff im Wind.
Angst macht die Besatzung blind.
Horch, sie heulen mit dem Wetter.

Unten schwimmt ein Wal, ein fetter.
Jener Wal heißt Askalon.
Er verzehrt als Hauptportion
Hering, Aal und Tintenfisch,
ohne Messer, ohne Tisch,
einfach so, er zwängt die Mengen
durch den Hals, den etwas engen.

Er braucht keine Gabel hier,
denn er ist ein Fabeltier.
Davon später. Weiter oben
ist der Kapitän am Toben.

»Irgendeiner muß von Bord!«
Die Besatzung folgt aufs Wort,
keiner weiß genau warum.
Jona fliegt. Die Welt ist dumm.

Jona wird zum Glück gerettet.
Während die Besatzung wettet,
daß er tot ist, sitzt der Jona
schon im U-Boot nach Ancona.

Nach Ancona und im Boot?
Hier wird der Erzähler rot.

In der Tiefe wartet schon
dick und wohnlich Askalon.
Jona – kaltblütig entfernt –
bei dem Warmblüter bald lernt,
daß das Fett zur rechten Zeit
mehr ist als Gemütlichkeit.

In dem Bauch vor allen Dingen
übt er Psalmenliedersingen.

(Merke: Wenn du einmal tauchst
und ganz unten Hilfe brauchst,
sing dein Lied zum letzten Mal.
Wenn du Glück hast, kommt der Wal.)

Askalon sticht flott in See
und nimmt Kurs auf Ninive.

Schwuppdiwupp, das geht ganz fix,
wie die Nixe und der Nix
liegt am Ufer Jona schon.
Der Prophet tritt in Aktion,
wie versprochen wird gepredigt,
sonst ist Ninive erledigt.

Erst gilt er als Ruhestörer,

doch er findet seine Hörer,
die sich immer mehr vermehren
und erstaunlich schnell bekehren.
Schließlich folgt das ganze Volk.
So etwas nennt man Erfolg.
Später kommt noch mancher Sturz.

Fassen wir zusammen kurz:
Der Prophet in Seenot guckt,
daß ein Walfisch ihn verschluckt.

Mancher sagt vielleicht: Na und?
Doch bedenke: Jener Schlund
läßt gar keinen Menschen durch,
höchstens einen kleinen Lurch.

Schau, das Buch der Bücher liebt
Bilder, wie der Geist sie gibt.

Ob der Fisch ein echter war?
Er war da und wunderbar.

Jona, um das abzuschließen,
läßt aus Ninive noch grüßen,
und auf seiner Tauchstation
planscht und blubbert Askalon.